Ingo Siegner

Der kleine Drache Kokosnuss reist in die Steinzeit

Ingo Siegner

Der kleine Drache Kokosnuss

reist in die Steinzeit

cbj ist der Kinder- und Jugendbuchverlag
in der Verlagsgruppe Random House

Das für dieses Buch verwendete FSC®-zertifizierte Papier
Hello fat matt von Condat
liefert die Deutsche Papier Vertriebs GmbH.

Gesetzt nach den Regeln der Rechtschreibreform.

5. Auflage

Umschlagbild und Innenillustrationen: Ingo Siegner
Umschlagkonzeption: Basic-Book-Design, Karl Müller-Bussdorf
hf · Herstellung: hag
Satz und Reproduktion: Lorenz & Zeller, Inning a. A.
Druck und Bindung: Grafisches Centrum Cuno GmbH & Co. KG
ISBN 978-3-570-15282-9
Printed in Germany

www.cbj-verlag.de
www.drache-kokosnuss.de

Inhalt

Reise in die Steinzeit

Heute Abend wird der kleine Feuerdrache Kokosnuss von seinem Vater Magnus ins Bett gebracht.
»Welche Geschichte soll ich heute erzählen?«, fragt Magnus und gähnt.
»Von Anfang an«, sagt Kokosnuss.
»Wie jetzt, von Anfang an?«
»Na, wie alles begann mit den Drachen. Wo wir herkommen.«
Magnus kratzt sich an der Nase.
»Also, ähm, soweit ich weiß, stammen wir von den Menschen ab.«
Kokosnuss starrt seinen Vater mit großen Augen an.
»Von den Menschen? Wie soll das denn gehen? Die sehen ganz anders aus als wir! Die haben keine Flügel, kein Feuer, dünne Beine und winzige Nasen.«
»Ja, schon, aber trotzdem stammen wir von denen ab«, sagt Magnus. »Eines Tages nämlich,

in der Steinzeit,
vor 100 000 Jahren
oben in den
Bunten Buckeln,
hat ein Mensch
zwei Eier gelegt.
Darin waren Feuer-
drachen-Babys. Die
hießen Zöpfchen und
Knöpfchen und sind
unsere Vorfahren.«

»Zöpfchen und Knöpfchen?«, wiederholt Kokos-
nuss. »Aber Menschen legen doch keine Eier!«
»Der hat aber Eier gelegt«, sagt Magnus.
»Hmpf«, brummt Kokosnuss und verschränkt die
Arme vor der Brust.
Menschen, die Eier legen, so ein Blödsinn!
»Hat der Mensch die Eier dann auch ausgebrütet?
Mit dem nackten Popo?«
»In der Steinzeit waren die Popos noch nicht
nackt, sondern behaart, wie bei den Affen«, sagt
Magnus.

Mit diesen Worten löscht er die Kerze und zieht den Vorhang zu. Kokosnuss aber liegt noch eine ganze Weile wach.
So was, denkt er, wir Feuerdrachen stammen doch nie und nimmer von den Menschen ab!

Zwei Tage später, an einem strahlenden Sonntagmorgen, warten Matilda das Stachelschwein und Oskar der Fressdrachenjunge mit gepackten Taschen vor Kokosnuss' Höhle.
»Kokosnuss!«, sagt die Mutter Mette. »Matilda und Oskar warten auf dich!«
»Komme gleich!«, ruft Kokosnuss.
Magnus steckt seinen Kopf zur Höhle heraus und fragt: »Wo wollt ihr eigentlich hin, heute am Sonntag?«
»Äh, wir wollen in die Bunten Buckel wandern«, sagt Matilda.
»Picknick«, sagt Oskar.
»Picknick«, spottet Magnus. »Als ich in eurem Alter war, da hab ich Abenteuer erlebt ... da haben aber die Ohren gewackelt!«

»Magnus!«, sagt Mette streng. »Gib nicht so an! Sei froh, dass die Kinder zum Wandern gehen und nicht irgendwelche gefährlichen Ausflüge unternehmen.«
Da stolpert Kokosnuss aus der Höhle. »Es kann losgehen!«
»Seid heute Abend pünktlich zum Essen zurück!«, sagt Mette.
»Wir grillen am Strand«, sagt Magnus.
»Okidoki!«, ruft Kokosnuss und folgt Matilda und Oskar.
Als die Drachenhöhlen schon ein ganzes Stück hinter ihnen liegen, fragt der kleine Drache seine Freunde: »Wollten meine Eltern wissen, was wir vorhaben?«
»Aber hallo«, antwortet Oskar.
»Wir haben gesagt, dass wir zu den Bunten Buckeln wandern«, sagt Matilda.
Kokosnuss grinst. »Das stimmt ja auch.«
»Schaffen wir es pünktlich zum Essen wieder zurück?«, fragt Oskar.
»Wir sind auf jeden Fall rechtzeitig zurück«, sagt

Kokosnuss. »Ich kann den Laserphaser so einstellen, dass wir sogar gestern wieder zu Hause sind.«[1]

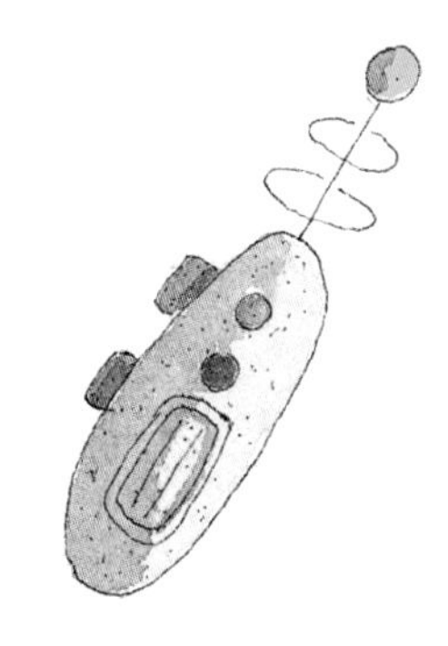

»Bloß nicht!«, protestiert Matilda. »Gestern gab es bei uns Gemüsesuppe. Dann müsste ich die ja noch mal essen!«

Am Nachmittag erreichen die Freunde die Bunten Buckel. Auf einem kleinen Berg machen sie Halt. Überall blühen saftige Wiesen. Hinter ihnen erheben sich die mächtigen Himmelskratzer und in der Ferne können sie die Drachenberge erkennen. Kokosnuss holt den Laserphaser aus seiner Tasche.

»Äh, wie viele Jahre durch die Zeit reisen wir noch mal?«, fragt Oskar.

»100 000«, antwortet Kokosnuss.

»Vor oder zurück?«, fragt Oskar.

[1] Mit dem kleinen Laserphaser (sprich: Leserfeser) kann man durch die Zeit reisen. Er ist ein Abschiedsgeschenk von Bobbi vom Planeten Zitterpappel. Mit Bobbi haben Kokosnuss, Matilda und Oskar ein Weltraum-Abenteuer erlebt.

»Manno, Oskar!«, sagt Matilda. »Entweder hörst du nie zu oder du hast Gurken in den Ohren!«
»Gurken«, sagt Oskar.
»Wir reisen zurück in die Steinzeit«, sagt Kokosnuss. »Nachgucken, ob wir wirklich von den Menschen abstammen.«
»Ach ja, genau!«, sagt Oskar. »Hihi, ein Mensch, der Dracheneier ausbrütet. Das sieht bestimmt lustig aus!«
»Achtung«, sagt Kokosnuss und tippt die Zahl in das kleine Gerät. »Eng beisammen stehen!«
Die Freunde sind furchtbar aufgeregt. Wie sah es hier wohl aus vor 100 000 Jahren? Kokosnuss drückt den roten Knopf. Es kribbelt auf der Haut. Plötzlich sind alle drei verschwunden.

Klonk

Die Freunde sehen sich um. Sie sind noch immer auf demselben Berg, doch jetzt wachsen hier überall Bäume.
»Wo sind denn die Wiesen hin?«, fragt Oskar.
»Vor 100 000 Jahren«, sagt Matilda, »waren die Bunten Buckel eben nicht mit Wiesen, sondern mit Bäumen bewachsen.«
Das Stachelschwein blickt hinüber zu den Himmelskratzern. »Aha, die sind völlig mit Schnee und Eis bedeckt. Klarer Fall von Eiszeit.«
»Eiszeit?«, wiederholen Kokosnuss und Oskar.
»Auf der Erde gibt es immer wieder kleine Eiszeiten«, erklärt Matilda, »nicht weiter schlimm, nur eben kalt.«
»Stimmt«, brummt Oskar. »Ich friere.«
»Kommt, wir suchen einen Lagerplatz!«, sagt Kokosnuss.
»Geht schon vor«, sagt Matilda. »Ich komme gleich nach.«

Während die Drachenjungen sich auf den Weg machen, schreibt Matilda etwas in ihr Notizbuch.
»Was Matilda wohl wieder aufschreibt?«, murmelt Oskar.
»Bestimmt die Sache mit der Eiszeit«, antwortet Kokosnuss. »Sie möchte doch mal Forscherin werden.«
»Hm. Weißt du auch schon, was du einmal werden möchtest?«
»Abenteurer«, antwortet Kokosnuss. »Und du?«
»Ich auch«, sagt Oskar. »Abenteurer ist gut. Da passiert immer was.«
Plötzlich hören sie ein wütendes Quieken und ein lautes Rascheln.
Blitzschnell kehren die beiden Drachenjungen an die Stelle zurück, wo eben noch Matilda stand.
Doch das Stachelschwein ist verschwunden.

»Matilda!«, ruft Kokosnuss verzweifelt.
»Hier sind Spuren!«, sagt Oskar. »Das sind Matildas Pfotenabdrücke und noch andere. Ein Affe vielleicht?«
»Oder ein Mensch«, flüstert Kokosnuss und blickt sich ängstlich um.
Da raschelt es erneut und Matilda springt aus einem Busch heraus.
»Hast du uns einen Schrecken eingejagt!«, sagt Kokosnuss erleichtert.
»Wir wussten ja nicht«, sagt Oskar, »dass du Verstecken mit uns spielst.«
»Von wegen«, erwidert Matilda grimmig. »So ein Steinzeit-Heini wollte mich fangen. Aber da hat er sich gewaltig geschnitten!«

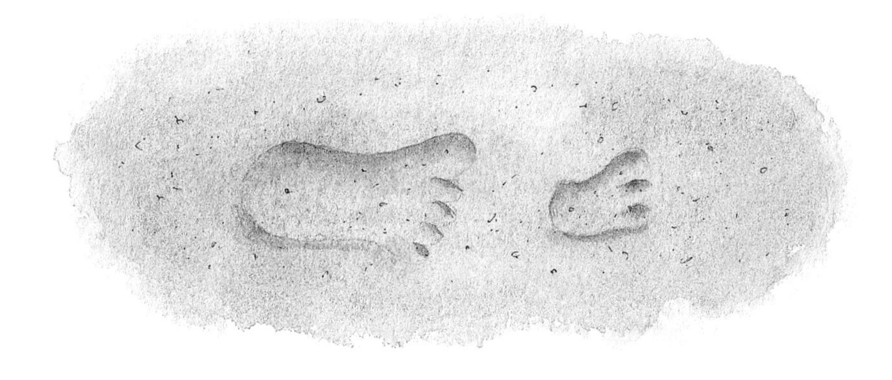

»Wo ist der denn jetzt?«,
fragt Kokosnuss.
»Da hinten, in einer Grube.«
»In einer Grube?«, wiederholt Oskar.
Matilda kichert. »Hihi, ich glaube, das ist seine eigene. Die war eigentlich für mich gedacht, aber dann ist er selber hineingefallen.«
Die Freunde gehen zu der Grube und schauen vorsichtig über den Rand. Tatsächlich – unten auf dem Boden der Grube geht ein Mann auf und ab. Er hat eine stämmige Statur, seine Haare wuchern wild und stehen nach allen Seiten ab. Im Ohr trägt er einen hölzernen Ring und seine Kleidung besteht aus grob zusammengenähten Tierfellen. Er fuchtelt zornig mit einem Speer herum und grummelt immerzu vor sich hin:
»Hmpfgrmbl, immer passiert mir so was, hmpfgrmbl, so ein Pech!«
Da bemerkt er die beiden Drachen und das Stachelschwein. Erschrocken sagt er: »W-wer seid ihr denn?«
»Drachen«, antwortet Kokosnuss.

»D-Drachen? A-aber Drachen gibt es in Wirklichkeit doch nicht.«
»Uns schon«, sagt Oskar.
»Und ich bin ein Stachelschwein und mich wolltest du fangen, schon vergessen?«, ruft Matilda hinab.
»Äh, ich, äh, habe Hunger, und da dachte ich, du schmeckst bestimmt nicht schlecht, wenn man ein paar Gewürze ...«
»Du wolltest mich essen?«, ruft Matilda fassungslos. »Bei dir piept's wohl!«
»Aber i-ich wollte ja nicht alles von dir essen. Deine Stacheln zum Beispiel eignen sich bestimmt für Pfeilspitzen. Und dein Fell könnte eine gute Mütze ...«
»Mütze?«, ruft Matilda wütend. »Das ist ja wohl die Höhe!«
»W-wieso? Im Winter kann es hier ganz schön kalt werden.«
»Ja toll!«, brummt Matilda. »Mütze! So was!«
»Wir hätten da ein paar Fragen«, meldet sich Oskar.

»Äh, schieß los!«, sagt der Steinzeitmensch.
»Legst du eigentlich Eier?«
»Ich leg doch keine Eier!«, brummt der Mensch empört. »Erstens bin ich ein Mann und zweitens ein Mensch. Und Menschen legen keine Eier.«
»Hab ich's mir doch gedacht!«, sagt Kokosnuss.
Plötzlich ertönt ein fernes Gebrüll. Was war das?
»Das«, antwortet der Mensch und hebt stolz seinen Speer, »war der große Bär. Er wartet auf mich.«
»Willst du den etwa auch fangen?«, fragt Matilda.
Der Mensch streckt seine Brust heraus und sagt:
»Ich bin Klonk vom Stamm der Aga-Ugas. Wir sind Bärenjäger.«
»Ist das Bärenfell, das du da trägst?«, fragt Kokosnuss.
»Äh, nee, Ziege und Kaninchen. Aber morgen werde ich den großen Höhlenbären erlegen. Dann werde ich Bärenfell und eine Kette aus Bärenkrallen tragen.«
»Und wie willst du den Bären besiegen?«, fragt Oskar.

»Die Bärenjagd ist eine große Kunst. Wenn ihr mir aus der Grube helft, werde ich euch darin unterweisen.«
»Das wäre ja noch schöner!«, protestiert Matilda. »Du bleibst mal brav da unten, du Hippie!«
»Aber ich, äh, ich werde dich ganz bestimmt nicht essen, jetzt, wo ich dich kenne und dich sogar ganz sympathisch finde.«
»Also«, flüstert Oskar, »ich würde schon gern wissen, wie der einen Bären erlegen will. Wenn er nicht einmal ein Stachelschwein fangen kann.«
»Was soll das denn heißen?«, fragt Matilda empört.
»Ich finde, wir sollten ihn befreien«, flüstert Kokosnuss. »Er scheint ganz in Ordnung zu sein.«
»Über die ersten Drachen weiß der aber nichts«, sagt Matilda. »Wenn er schon sagt, dass es Drachen gar nicht gibt.«

»Vielleicht legt er ja doch ein paar Drachen-Eier«, flüstert Oskar. »Nur weiß er noch nichts davon.«
»Na gut«, brummt Matilda. »Einverstanden!«
Mit einem schmalen Baumstamm helfen die Freunde Klonk aus der Grube heraus. Freudig umarmt der Steinzeitmensch die beiden Drachenjungen. Matilda aber gibt er höflich die Hand, denn ein Stachelschwein zu umarmen, ist eine schwierige Übung.
»Nun führe ich euch zu einem guten Lagerplatz«, sagt der Mensch. »Er liegt nicht weit von der Höhle des Bären entfernt.«

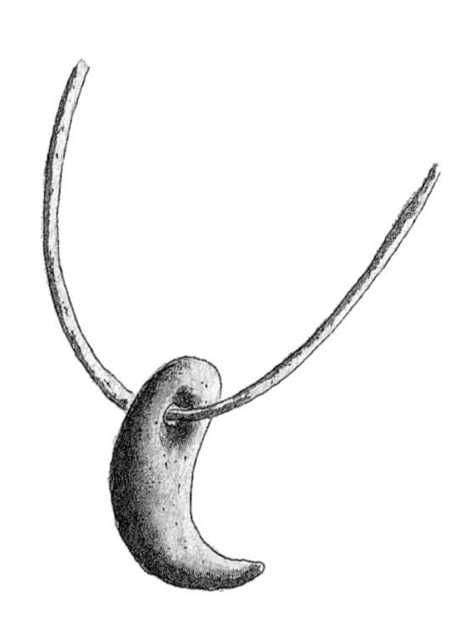

Feuerpups und Drachen-Ei

Der Steinzeitmensch, die beiden Drachenjungen und das Stachelschwein marschieren zwischen den Bäumen hindurch bergan in Richtung Bärenhöhle. Als die Abendsonne lange Schatten wirft, erreichen sie eine Felsengruppe, hinter der das Eis eines Gletschers schimmert.[2]

Im Schutz der Felsen schichtet Klonk trockene Zweige auf. Aus seinem Beutel holt er zwei Hölzer, klemmt eines zwischen seine Füße und reibt mit beiden Handflächen das andere darauf, um Hitze zu erzeugen.

»Damit wir es schön warm haben«, sagt er.

»Wir Menschen können nämlich Feuer machen. Das unterscheidet uns von den Tieren.«

Matilda und Oskar werfen Kokosnuss einen Blick zu.

[2] Ein Gletscher besteht aus gefrorenem Wasser. Er ist wie ein riesiger Teppich aus Eis, der bei Kälte wächst und bei Wärme schmilzt.

»Kokosnuss«, flüstert das Stachelschwein, »du könntest doch einfach etwas Feuer speien.«
»Lass ihn nur machen«, sagt der kleine Drache leise. »Für Menschen ist das Feuermachen wichtig.«
Sie beobachten, wie Klonk unermüdlich den Holzstab dreht. Mittlerweile neigt sich die Sonne dem Horizont zu und die Abendkälte zieht über die Insel.
Klonk reibt immer weiter das Holz und sagt:
»So langsam wird's!«
Oskar friert. »Das dauert ja ewig«, brummt er.
»Mir frieren gleich die Stacheln ein«, flüstert Matilda.
Auch Kokosnuss kriecht die Kälte unter die Kappe.
Klonk legt das Holz beiseite und schüttelt seine Hände.
»Puh, ziemlich anstrengend«, sagt er und seufzt.
»Ich könnte dir helfen«, sagt Kokosnuss.
»Das ist nett von dir, aber weißt du, Tiere können das nicht.«
»Manche Drachen aber schon.«

Klonk betrachtet den kleinen Drachen, wiegt den Kopf hin und her und reicht ihm schließlich die Hölzer.
»Die brauche ich gar nicht«, sagt Kokosnuss und speit einen Feuerstrahl auf das Reisig.
Klonk springt erschrocken auf und ruft: »Bohui! W-wie machst du das?«
»Ich bin ein Feuerdrache. Das Feuerspeien ist bei uns angeboren. Wir müssen nur manchmal etwas Feuergras essen, um neue Feuerkraft zu bekommen.«

»Feuergras?«, fragt Klonk.
Kokosnuss lüpft seine Kappe und holt ein Büschel Gras hervor.
»Dieses Gras kenne ich«, sagt Klonk. »Das wächst in der Nähe unserer Höhlen. Völlig ungenießbar.«
»Es funktioniert nur bei uns Feuerdrachen«, erklärt Kokosnuss.
Klonk überlegt: Wenn ich doch Feuer speien könnte!
Sehnsüchtig schaut er auf das Gras.
»Darf ich einmal probieren?«
»Für Menschen«, sagt Kokosnuss, »ist das Gras vielleicht gefährlich.«
»Bitte, bitte!«, fleht Klonk.
»Hm«, seufzt Kokosnuss. »Na schön, aber nur ein paar Halme.«
Klonks Augen leuchten. Eifrig zerkaut er etwas Feuergras, verzieht das Gesicht und schluckt es mühsam hinunter. Dann atmet er tief ein und pustet kräftig aus. Doch nicht einmal ein winziges Fünkchen kommt aus seinem Mund.

Plötzlich aber gurgelt es in seinem Magen. Er springt auf, als ihm schon ein großer, schmerzhafter Feuerpups entweicht.
»Ohhhhhhh AUTSCH!«, schreit Klonk und plumpst Po voran in das feuchte Gras. Zischend und dampfend erlischt das Feuer an Klonks Hintern. Mit schmerzverzerrtem Gesicht betrachtet er das angesengte Fell seiner Hose.
Kokosnuss zuckt mit den Schultern. »Es ist nur etwas für Feuerdrachen.«

Da rumort Klonks Magen wieder. Der Steinzeitmensch erschrickt, doch diesmal ist es kein Gurgeln, sondern ein Knurren. Erleichtert stellt er fest: »Es ist nur mein Hunger«, und lässt sich am Feuer nieder.
Kokosnuss, Matilda und Oskar packen ihre Käsebrote aus und teilen sie mit Klonk.
»Hmmm, sehr gut!«, sagt der Mensch, der noch nie zuvor ein Käsebrot gegessen hat. »Ihr kommt wohl von weit her?«
»Aus der Drachenbucht«, sagt Oskar.
»Die ist weit weg«, sagt Kokosnuss schnell. »So weit, weiter geht es nicht.«
»Wieso?«, fragt Oskar. »Die Drachenbucht ist doch ...«
Matilda knufft ihn in die Seite und flüstert: »Das mit der Zeitreise sollten wir besser für uns behalten. Sonst denkt Klonk noch, wir hätten nicht mehr alle Stacheln in der Schüssel.«
»Ach so«, murmelt Oskar. »Verstehe.«
»Von ganz weit weg kommt ihr«, sagt Klonk. »Das habe ich mir gedacht. Ich habe euch

nämlich noch nie gesehen.« Er verzehrt den letzten Bissen Käsebrot. »Schmeckt so gut wie Eier, meine Lieblingsspeise!«
Oskar läuft das Wasser im Maul zusammen.
»Hm, Rührei!«
»Was ist Rührei?«, fragt Klonk.
»Verquirltes Ei, das in der Pfanne gebraten wird«, erklärt Oskar.
»Pfanne?«, fragt Klonk.
Unmerklich flüstert Matilda Oskar zu: »In der Steinzeit gibt es noch keine Dinge aus Eisen.«
»Ja, äh, Steinpfanne«, sagt Oskar. »Ei auf heißem Stein, meine ich.«
»Oh nein, kleiner Drache«, sagt Klonk. »Wir Aga-Ugas legen die Eier in die heiße Feuerasche.«
Plötzlich leuchten seine Augen wieder.
»Jetzt erkläre ich euch die Bärenjagd!«
Mit einem Stück Malkohle zeichnet er einen Bären und einen Jäger an den Felsen. Kokosnuss staunt, wie gut Klonk zeichnen kann!
»Einen Bären«, erklärt der Mensch mit fester Stimme, »muss man in die Enge treiben und

dann – ZACK! – mit dem Speer blitzschnell zustechen.«
Matilda blickt auf die Zeichnung. »Das ist alles?«
»Genau«, antwortet Klonk.
Oskar steht auf und brummt: »Ich muss jedenfalls mal dringend wohin.«
Der kleine Fressdrache tapst hinter die Felsen.
Klonk blickt ihm nach und sagt: »Der Oskar sieht ziemlich gefährlich aus, mit seinen spitzen Zähnen.«
»Aber er ist ein feiner Kerl«, sagt Matilda.
»Der beste Freund, den man sich denken kann«, fügt Kokosnuss hinzu.

»Und obendrein ist er Vegetarier«, erklärt Matilda. »Oskar würde nie ein Stachelschwein essen. Er hat nämlich eine Fleischallergie.«
Klonk murmelt nachdenklich: »Ich habe keine Fleischallergie.«
»Hast du denn schon einmal einen Bären erlegt?«, fragt Kokosnuss.
»Das nicht, aber wenn der morgige Tag zu Ende ist, werde ich ein großer Bärenjäger sein! Und nun muss ich mich aufs Ohr legen.«
Der Mensch streckt sich neben dem Feuer aus und fällt im Nu in einen tiefen Schlaf.
Gerade wollen sich Kokosnuss und Matilda ebenfalls schlafen legen, als Oskar hinter dem Felsen hervorschaut und flüstert: »Ich habe etwas gefunden. Das müsst ihr euch unbedingt ansehen!«
Leise gehen Kokosnuss und Matilda hinter die Felsen. Oskar zeigt auf den Gletscher. Durch das Eis schimmern zwei gesprenkelte Eier.
»Sind das Hühnereier?«, fragt Oskar.
»Viel zu groß«, sagt Matilda.

Kokosnuss betrachtet die farbigen Sprenkel.
Ein Ei ist rosa gefärbt und das andere hellblau.
Ob das etwa ... Mit ein paar kurzen Feuerstrahlen befreit er die Eier behutsam vom Eis.
»Feuerdrachen-Eier«, flüstert er.
Matilda staunt. »Wie kommen die denn in das Gletscher-Eis?«
»Keine Ahnung«, sagt Kokosnuss. »Aber wir sollten Klonk lieber nichts verraten. Wo der so gerne Eier isst!«
Kokosnuss verstaut die Eier in seiner Tasche.
Merkwürdig, denkt er. Ob diese beiden Eier etwas mit dem Ursprung der Drachen zu tun haben?

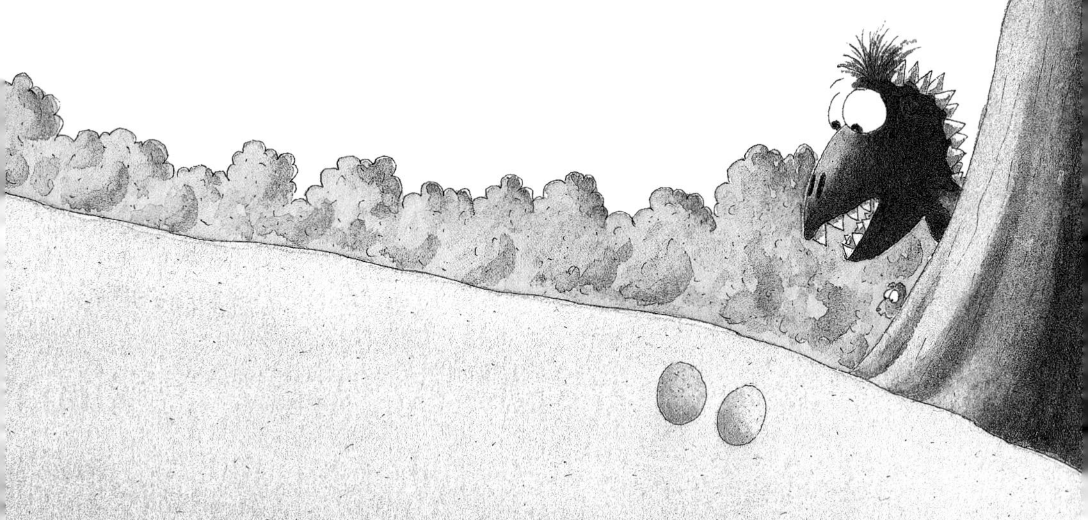

Der Höhlenbär

Am nächsten Morgen führt Klonk die kleine Gruppe zur Bärenhöhle hinauf. Die ersten Sonnenstrahlen glitzern durch den Wald, als sie am Fuße eines mächtigen Felsens einen Pfad erreichen.
Der Mensch hält seine Nase in die Luft und blickt sich nach allen Seiten um.
»Der Bär ist nicht zu Hause.«
»Woher weißt du das?«, fragt Kokosnuss.
»Ein Aga-Uga spürt den großen Bären. Ich spüre nichts – also ist er auswärts. Prima! So können wir uns in seiner Höhle auf die Lauer legen. Kommt!«
Klonk schreitet den Pfad bergan. Die drei Freunde folgen ihm zögernd.
Bald stehen sie vor dem riesigen Eingang der Höhle. Klonk lugt ins Dunkle hinein.
»Alles klar, die Luft ist rein. Auf geht's!«
Kokosnuss zündet ein paar Fackeln an. Gemeinsam betreten sie die Höhle. Das Feuer wirft ihre

Schatten an die hohen, zerklüfteten Felswände. Immer tiefer dringen sie in die Höhle vor, immer finsterer wird es. Kokosnuss, Matilda und Oskar bekommen nun doch ein wenig Angst.

»U-und was, w-wenn der Bär doch zu Hause ist?«, stottert Matilda.

»Iwo«, sagt Klonk. »Auf meinen Aga-Uga-Riecher ist Verlass!«

»Ich finde«, sagt Kokosnuss beunruhigt, »es riecht sehr nach Bär.«

Plötzlich hält Oskar an. »Seht mal, da sind Spuren, ganz frisch.«

»Bärentatzen«, murmelt Kokosnuss. »In groß.«
Matilda schluckt. Höhlenbären der Steinzeit waren riesengroß. Besser gesagt: sind riesengroß.
»Die Spur führt in die Höhle hinein«, bemerkt Oskar.
»Dann ist der Bär doch zu Hause«, sagt Kokosnuss und ein Schauer läuft ihm über den Rücken.
Klonk aber grinst.
»Das ist ein alter Trick. Der Bär ist rückwärts gegangen, damit wir denken, er sei noch in der Höhle. Aber mich kann er nicht foppen. Da muss er schon früher aufstehen!«
In diesem Augenblick löst sich hinter Klonk ein großer Schatten von der dunklen Höhlenwand.
Kokosnuss, Matilda und Oskar halten den Atem an. Sie erkennen ein riesiges Tier mit einem schwarzbraunen Fell und gefährlich funkelnden Augen: der Bär!
Die drei Freunde sind starr vor Schreck.
Klonk aber bemerkt den Bären nicht und fährt fort: »Einen Bären rieche ich hundert Schritte gegen den Wind. Die müffeln ja wie Mäusepups.«

Der Bär steht nun ganz dicht hinter dem Steinzeitmenschen und verschränkt die Arme vor seiner mächtigen Brust.
»Was ist denn mit euch los?«, fragt Klonk. »Ihr schaut so verschreckt. Ist irgendwas?«
»D-der B-Bär«, flüstert Kokosnuss.
»Ha!«, sagt Klonk. »Der soll nur kommen! Den spieße ich auf wie einen Knödel. Und dann ziehe ich ihm das Fell über die Ohren!«
Plötzlich packt der Bär Klonk am Kragen und hebt ihn in die Höhe.
»Baaaahhhhhh!«, schreit Klonk und lässt vor Schreck seine Fackel fallen.
Der Bär erhebt seine tiefe Stimme: »Könntest du das noch einmal wiederholen – das mit dem Knödel und dem Fell-über-die-Ohren-ziehen?«
»Äh, ja, also, Fell und Knödel, äh, erst mal das Fell. Ja, du hast wirklich ein wunderbares, weiches, ganz, ganz tolles Fell. So, so kuschelig u-und knödelig, zum Knödeln, d-deshalb Knödel.«
»Hm«, brummt der Bär. »Und wie war das mit dem Mäusepups?«

»Jöh, der Mäusepups, d-das ist mir so herausgerutscht, war gar nicht so gemeint. D-du duftest sogar gut, nach ... nach ... B-B-Bär!«
»Und was hast du mit dem Speer vor?«
Blitzschnell lässt Klonk seinen Speer fallen.
»Speer? Welcher Speer? Schon weg, der Speer, haha.«
Der Bär starrt dem Steinzeitmenschen tief in die Augen.
»Äh, g-g-gut«, stottert Klonk. »V-verstehe ... äh, könnten wir trotzdem wieder gehen? W-wir wollten ja nur mal gucken.«

»Und wenn ich dich nicht gehen lassen will, sondern FRESSEN?«, fragt der Bär und zeigt seine scharfen Zähne.
Da tritt Kokosnuss vor und ruft: »Klonk kann gut zeichnen!«
Der Bär blickt zum kleinen Drachen und brummt: »Na und?«
»Er könnte ein Porträt anfertigen.«
»P-o-r-t-r-ä-t?«, wiederholt der Bär und setzt Klonk auf einen Felsen.
»Ein Bild«, erklärt Matilda. »Er malt wunderschöne Bilder.«
»An die Felswand«, sagt Oskar.
»Ja, äh, richtig«, sagt Klonk. »Ein Bild, ein Porträt von Ihnen, d-da werden Sie staunen! Ein Porträt ist etwas für immer. D-das k-können auch Ihre Nachfahren noch betrachten!«
»In 100 000 Jahren«, sagt Matilda.
»In 100 000 Jahren«, brummt der Bär spöttisch. »Interessiert mich nicht, was dann ist.«
»Dann«, sagt Oskar, »brummt es aber hier auf der Insel, da ist was los, sage ich dir!«

»Woher willst du das denn wissen?«, sagt der Bär.
Da bemerkt er, dass Klonk sich heimlich davonstehlen will. Mit einer schnellen Bewegung packt er den Steinzeitmenschen und sagt: »Bevor ich dich laufen lasse, malst du ein Poree von mir!«
»Porträt«, sagt Matilda.
»Egal, ein Bild halt«, brummt der Bär.
So kommt es, dass Klonk seine Haut rettet, indem er von dem großen Bären ein Porträt an die Höhlenwand zeichnet. Er strengt sich an und es wird ein sehr schönes Bild. Der Bär ist zufrieden und sogar ein wenig stolz auf die Zeichnung, die nun für lange Zeit seine Höhle zieren wird. Vielleicht sogar bis heute.

Klonk ist verzweifelt

»Danke, dass ihr mich vor dem Bären gerettet habt«, sagt Klonk, als sie den Höhlenausgang erreichen. »Ohne euch hätte er mich aufgefressen.«
»Aber eigentlich hast *du* uns alle gerettet«, sagt Kokosnuss.
»Wenn du das Bild nicht gemalt hättest«, sagt Matilda, »lägen wir jetzt vielleicht im Bärenmagen.«
Trotzdem ist Klonk traurig. Er wollte so gerne einen Bären erlegen!
»Und was hast du jetzt vor?«, fragt Kokosnuss.
»Ach«, seufzt Klonk, »ich gehe zu meinen Leuten zurück, zur großen Bucht. Tschüssi, macht's gut.«
Mit hängenden Schultern schlurft er hinab zum großen See. Kokosnuss, Matilda und Oskar tauschen Blicke aus. Alle drei denken das Gleiche: Die große Bucht muss die Drachenbucht sein!

»Wir sollten Klonk begleiten«, sagt Kokosnuss.
»Vielleicht erfahren wir doch noch etwas darüber, woher die Drachen stammen.«
»Oder es hat mit den beiden Eiern in deiner Tasche zu tun«, sagt Matilda.
»Egal«, brummt Oskar. »Zur Drachenbucht müssen wir sowieso latschen, ob heute oder in 100 000 Jahren.«
So holen die Freunde Klonk wieder ein. Das ist nicht schwer, denn er geht so langsam, als trüge er einen Mühlstein um den Hals.

Klonks Gesicht hellt sich auf, als er die anderen wiedersieht.
Wenn einer traurig ist, sollte er lieber unter netten Leuten sein. Und diese beiden kleinen Drachen und das Stachelschwein, denkt der Mensch, sind nette Leute.
Am Ufer des Sees machen sie Rast. Hier hat Klonk zwischen ein paar Büschen ein Floß versteckt.
»Ich werde uns etwas fangen«, sagt Klonk. »Hier gibt es köstliche Fische!«
Den Speer bereit, watet der Steinzeitmensch langsam durch das seichte Wasser. Plötzlich hält er inne, zielt und stößt zu.
»Und?«, ruft Oskar.
Klonk zieht den Speer aus dem Grund und brummt: »Daneben.«
Er versucht weiter, einen Fisch zu erlegen, während Kokosnuss, Matilda und Oskar trockenes Holz sammeln.
Bald sitzen die drei an einem kleinen Feuer. Kokosnuss holt die Dracheneier hervor und legt sie vorsichtig in den warmen Sand.

»Meinst du, die schlüpfen noch?«, fragt Matilda.
»Wenn etwas tiefgefroren war, dann lebt es doch eigentlich nicht mehr.«
»Hm, bei Drachen weiß man nie«, murmelt Kokosnuss.
Oskar beobachtet Klonk.
»Der braucht ja ganz schön lange, um einen Fisch zu fangen.«
»Ein guter Jäger ist er nicht gerade«, sagt Matilda.

Klonk kehrt enttäuscht ans Ufer zurück. Schnell deckt Kokosnuss die Eier mit Sand zu.
»Heute habe ich kein Glück«, sagt der Steinzeitmensch verdrossen.
»Soll ich es einmal versuchen?«, fragt Oskar und springt auf.
»Du bist doch Vegetarier«, sagt Matilda.
»Fisch esse ich aber manchmal.«
»Von mir aus«, sagt Klonk mutlos und gibt Oskar den Speer. »Ich werde lieber ein paar Vogeleier sammeln. Die schmecken auch gut.«
Doch kaum hat der Mensch sich auf den Weg zum Uferschilf gemacht, da ruft Oskar: »Ich habe einen!«
An der Speerspitze zappelt ein großer Fisch. Vorsichtig bringt Oskar ihn ans Ufer.
»Oh, danke«, sagt Klonk. »D-den können wir über dem Feuer grillen, das schmeckt sehr gut. Ich habe ein paar Kräuter dabei, damit schmeckt es noch besser.«
Bald liegen alle satt im Sand.
»Das war lecker!«, sagt Oskar.

»Köstlich«, sagt Matilda.
»Klasse gewürzt«, sagt Kokosnuss. »Du bist ein guter Koch.«
»Und ein prima Kumpel«, sagt Oskar.
»Und ein guter Maler«, sagt Matilda.
Klonk seufzt. »Ach, mit dem Malen kann ich doch keine Familie ernähren. Viel lieber wäre ich ein guter Jäger. Dann würden die anderen in meinem Stamm mich achten. Aber für die bin ich eine jägerische Niete. Nicht einmal einen Fisch kann ich fangen.«
Eine kleine Träne kullert über Klonks Wange. Er schnäuzt in sein Taschentuch, streckt sich aus und schließt die Augen.

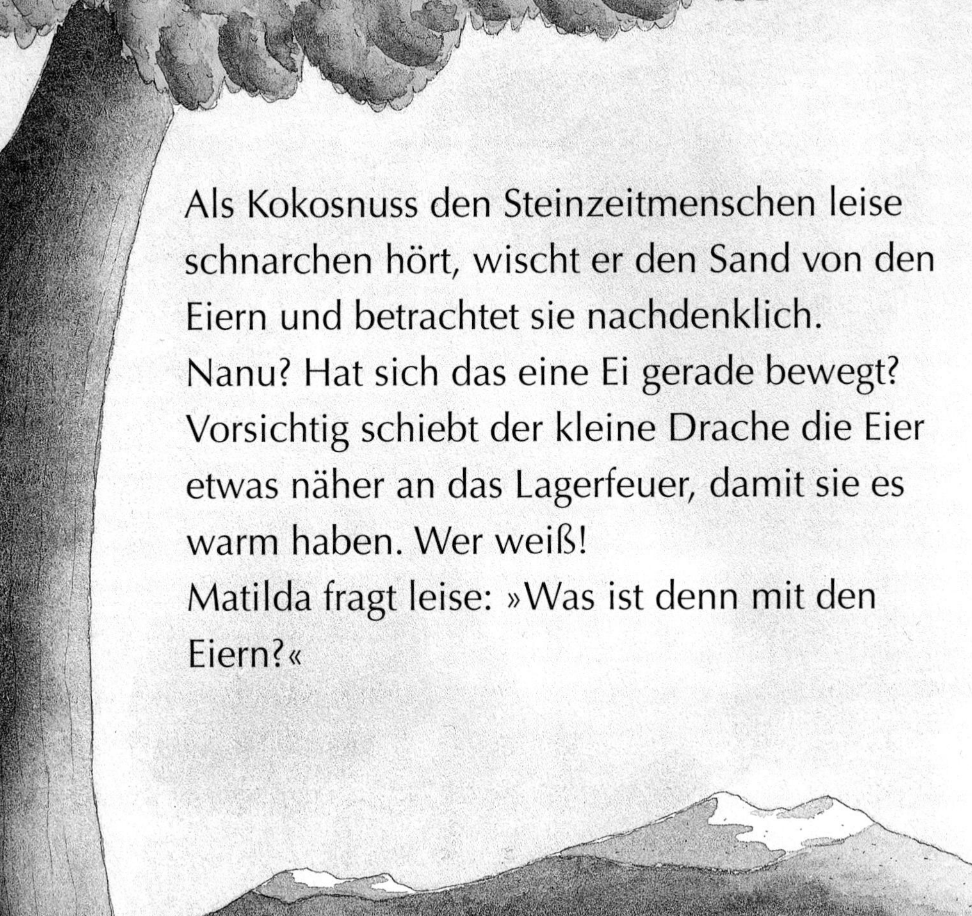

Als Kokosnuss den Steinzeitmenschen leise schnarchen hört, wischt er den Sand von den Eiern und betrachtet sie nachdenklich.
Nanu? Hat sich das eine Ei gerade bewegt? Vorsichtig schiebt der kleine Drache die Eier etwas näher an das Lagerfeuer, damit sie es warm haben. Wer weiß!
Matilda fragt leise: »Was ist denn mit den Eiern?«

»Ich glaube«, antwortet Kokosnuss, »die Drachenbabys sind lebendig.«
»Merkwürdig«, sagt das Stachelschwein. »Nach so langer Zeit im Eis.«
»Es sind eben Drachen«, sagt Kokosnuss.
»Und was machen wir mit ihnen, falls sie schlüpfen?«
»Wir könnten sie mit in unsere Zeit nehmen.«

»Ich weiß nicht«, murmelt Matilda. »Die gehören doch in die Steinzeit.«
»In der Zukunft«, sagt Oskar, »kennen die sich gar nicht aus.«
»Außerdem«, sagt Matilda, »scheint es hier in der Steinzeit tatsächlich keine Drachen zu geben. Dann stecken in diesen beiden Eiern vielleicht die allerersten Drachen überhaupt.«
»Aber wer hat die Eier dann gelegt?«, fragt Oskar.
»Hm«, überlegt Matilda. »Vielleicht waren sie schon viele Tausend oder sogar Millionen Jahre im Eis eingeschlossen. Die können von sonst woher kommen. Aus dem Erdinneren oder aus dem Weltraum.«
Die Freunde blicken in den Himmel.
»Und du meinst«, sagt Kokosnuss, »in den Drachen-Eiern stecken meine Vorfahren?«
»Genau«, sagt Matilda. »Vielleicht sind das deine Urururururururur-Großeltern.«
»Oder Urururururururururururururururururururur-ururururururururururur-Großeltern«, sagt Oskar.

»Und wenn wir sie mit in die Zukunft nehmen«, sagt Matilda, »dann können sie ja gar nicht mehr deine Vorfahren sein.«
»Dann gibt's dich gar nicht, hihi«, kichert Oskar. Kokosnuss überlegt. Matilda hat recht: Die beiden Eier sollten hier in der Steinzeit bleiben. Sein Blick wandert zu dem friedlich schlafenden Klonk. Hm, und wenn ... Kokosnuss hat eine Idee. Leise flüstert er Matilda und Oskar zu, was er vorhat.

Am Nachmittag setzen die Freunde mit dem Floß über den See. Danach ziehen sie durch dichte Wälder und über grüne Wiesen in Richtung Küste. Der große Dschungel und die Wüste existieren noch nicht, aber der Fluss Mo schlängelt sich

genauso durch die Insel wie in der Zeit der Drachen. Je näher sie der Bucht kommen, desto langsamer werden Klonks Schritte. Bald lässt er sich an einem Baum nieder.
»Was hast du?«, fragt Kokosnuss.
»Ach«, seufzt Klonk, »ich möchte gar nicht zu den anderen zurück. Die lachen mich aus, wenn ich ohne Bärenfell heimkehre.«
»Und wenn du statt eines Bärenfells etwas anderes mitbringen würdest?«
»Was denn?«
Kokosnuss holt die Eier hervor und sagt: »Zum Beispiel diese Eier!«
Klonk betrachtet die Eier und brummt: »Ein Jäger ist doch kein Eiersammler!«
»Aber diese hier sind Feuerdrachen-Eier!«
Klonk stutzt und fragt: »Da sind Feuerdrachen drin?«
»Genau«, sagt Kokosnuss.
Klonk macht große Augen. »D-du meinst, w-wenn sie geschlüpft sind und ich ihnen Feuergras zu fressen gebe, dann speien sie Feuer?«

»Drachenbabys vertragen kein Feuergras. Trotzdem speien sie Feuer. Das Gras brauchen sie erst, wenn sie älter sind.«

»Wow!«, murmelt Klonk.

»Die Eier müssen aber erst ausgebrütet werden.«

»Ausbrüten?«, sagt Klonk. »Wie soll ich das denn machen?«

»Es reicht, wenn du sie ins Warme legst«, sagt Kokosnuss.

Klonk überlegt: Wenn er schon kein Bärenjäger ist, könnte er doch ein Drachenhüter sein. Das würde die anderen bestimmt beeindrucken. Und wenn es wirklich kleine Feuerdrachen sind, dann ... Bohui! Dann müsste er nie wieder mühsam mit zwei Holzstäben Feuer machen!

»Also, ehm«, sagt Klonk. »Gebongt!«

Kokosnuss atmet erleichtert aus und Klonk legt die Eier behutsam in seinen Beutel.

Zwei Drachenbabys

Am Abend erreichen sie die Drachenbucht. Staunend sieht Kokosnuss sich um. Die Felsen und die Höhlen sehen genauso aus, wie er es kennt, doch es wachsen ganz andere Bäume und Pflanzen, und das Meer liegt weiter draußen.[3]
Plötzlich ertönt ein Horn. Die Freunde erschrecken. Klonk beruhigt sie: »Bleibt nah bei mir!«
Wie aus dem Nichts tauchen kräftige Männer auf. Sie tragen Speere, Äxte und Messer mit steinernen Klingen. Matilda verbirgt sich hinter Kokosnuss und Oskar.
Ein Mann mit ergrautem Haar spricht: »Klonk, wen bringst du da mit?«
»D-dies sind zwei Drachen und ein Stachelschwein«, antwortet Klonk.
Bei dem Wort »Drachen« geht ein Raunen durch die Menschengruppe. Jetzt nähern sich auch

[3] Während einer Eiszeit sind die Meere kleiner, weil viel Wasser in Eisbergen oder Gletschern gebunden ist.

Frauen und Kinder. Neugierig blicken sie auf Kokosnuss und Oskar.
»Drachen gibt es in Wirklichkeit doch gar nicht«, sagt der Grauhaarige.
»D-diese schon«, sagt Klonk. »Sie kommen von weit her. U-und seht mal, was ich mitgebracht habe!«
Er holt die beiden Eier hervor und legt sie vorsichtig in den warmen Sand.
Die Menschen recken die Köpfe. Doch alles, was sie sehen, sind zwei Eier. Fragend blicken sie auf Klonk.
»D-das sind ganz besondere Eier«, sagt dieser.
»Überraschungseier«, sagt Oskar.
»Was sollen wir damit?«, ruft der Grauhaarige.
»Zeig uns lieber dein Bärenfell!«
»Genau!«, ruft ein anderer. »Wo ist das Bärenfell?«
»Äh, also ...«, stammelt Klonk.
Da meldet sich Kokosnuss: »Klonk hat uns vor dem Bären gerettet! Der große Bär wollte uns fressen, und da ist er dazwischen gegangen, mit Speer und allem Drum und Dran!«

»Ja, und? Wo ist jetzt das Fell?«, ruft einer.
»Wo ist das Bärenfleisch?«, ruft ein anderer.
»Wo sind die Bärenkrallen?«, ruft ein Dritter.
Da sagt Kokosnuss: »Klonk hat den Bären verschont!«
»G-genau!«, sagt Klonk. »Und außerdem habe ich ihn in die Flucht geschlagen, dass er geflüchtet ist, aber wie!«

»Schwupps, weg war er«, sagt Matilda.
»Schwuppdiwupp!«, sagt Oskar.
»Soso«, brummt der Grauhaarige. »Der Bär ist dir durch die Lappen gegangen. Und statt seiner bringst du uns zwei Eier.«
»Eier-Klonk!«, ruft einer.
»Ei-Ei-Eierklonk!«, ruft ein anderer und die Menschen lachen.
In diesem Augenblick macht es KNAX. Plötzlich herrscht Ruhe. Alle blicken auf die Eier. Wieder KNAX. Noch einmal KNAX, und das rosafarbene Ei bricht auf. Ein orangerotes Drachenbaby mit winzigen Flügelchen schaut aus der Eierschale heraus. Auf dem Kopf trägt es ein Zöpfchen. Die Menschen starren das kleine Wesen verblüfft an. Da bricht das hellblaue Ei auf: KNAX – und die feuerrote Nase eines kleinen Drachenjungen kommt zum Vorschein.
»Hihihi«, kichert Oskar. »Das sind ja zwei Knöpfchen.«
»Zöpfchen und Knöpfchen«, murmelt Kokosnuss nachdenklich.

»Die Namen passen gut!«, sagt Matilda.
»Zöpfchen und Knöpfchen«, sagt Klonk. Er hockt sich auf den Boden, atmet tief durch und pustet kräftig in die Luft. Die Drachenbabys schauen ihn fragend an und pusten auch kräftig in die Luft.
»Willst du ihnen das Atmen beibringen?«, spottet der Grauhaarige.
»N-nein«, sagt Klonk. »Das Feuerspeien.«
Da brechen die Steinzeitmenschen in Gelächter aus.

»Feuerspeien!«, rufen sie. »Bei dir sind wohl ein paar Steine locker!«
In diesem Augenblick speit Kokosnuss einen großen Feuerstrahl himmelwärts. Die Menschen weichen erschrocken zurück. Im Nu ist es mucksmäuschenstill. Klonk blickt erwartungsvoll auf die kleinen Drachen.
Die beiden holen tief Luft und ... speien Feuerstrahlen! Die Menschen gucken verdutzt auf die Drachenbabys. Die beiden müssen kräftig husten, aber dann schauen sie stolz in die Runde.

Vor Freude nimmt Klonk die kleinen Drachen in die Arme und singt:

»Jippi, juppi Drachenkind
puste, puste in den Wind!
Jippi, juppi und noch mal,
schwuppdiwupp – ein Feuerstrahl!«

Ein Mann wirft seine Mütze in die Höhe und ruft: »Klonk der Drachenhüter, er lebe hoch!«
»Bravo! Klonk der Drachenhüter!«, rufen die Steinzeitmenschen.

Auch der Grauhaarige nickt anerkennend. Stolz trägt Klonk die Drachenbabys zu seiner Höhle hinauf. Kokosnuss, Oskar und Matilda folgen ihm. Die Mitglieder des Stammes machen Platz und blicken den Fremdlingen neugierig nach.

Vor Klonks Höhle bleibt Kokosnuss verblüfft stehen.
»Das ist doch die Höhle deiner Familie«, flüstert Matilda.
Klonk bettet die Drachenbabys in das weiche Gras vor dem Höhleneingang.
»Am liebsten«, erklärt Kokosnuss, »trinken sie Kokosmilch. Und sie brauchen täglich einen Brei aus Kokosmark und Bananen. Wenn sie größer sind, müssen sie Feuergras essen, für ihre Feuerkraft.«
»Äh, wie groß werden die denn so?«, fragt Klonk.
»Riesig!«, sagt Oskar. »Ungefähr so hoch wie fünf Höhlenbären.«
Klonk schluckt. »A-aber ... sind die dann nicht gefährlich?«
»Wenn du gut zu ihnen bist«, sagt Kokosnuss, »dann sind es die freundlichsten Wesen der Welt.«
»Ui«, murmelt Klonk. Jetzt kann er es kaum erwarten, für seine beiden Schützlinge zu sorgen. Kokosnuss, Matilda und Oskar aber müssen nun die Rückreise antreten.

»Bevor ihr geht«, sagt Klonk, »male ich ein Porträt von euch!«
Mit seiner Malkohle zeichnet er die drei Freunde an eine Wand im inneren Teil der Höhle. Dann verabschiedet er sich, um für Zöpfchen und Knöpfchen Kokosnüsse und Bananen zu holen. Kokosnuss wirft einen letzten Blick auf die Drachenbabys, die friedlich im warmen Gras schlummern. Ob die beiden wirklich seine Vorfahren sind?
Da meldet sich Oskar: »Jetzt kriege ich aber langsam Hunger!«
»Auf geht's!«, sagt Kokosnuss, holt den Laserphaser hervor und stellt auf 100 000 Jahre minus einen Tag.

Wieder zu Hause

Kokosnuss, Matilda und Oskar landen wieder wohlbehalten in ihrer Zeit, genau dort, wo sie eben noch waren: in Klonks Höhle, besser gesagt, in Kokosnuss' Höhle. Vom Strand weht der Geruch von gebratenem Fisch herauf. In der Küche bereitet Mette einen Obstsalat vor. Als die Freunde aus dem Inneren der Höhle kommen, kriegt sie einen Schreck.
»Wo kommt ihr denn plötzlich her?«
»Öh ... von unserer Wanderung«, antwortet Kokosnuss.
»Ich habe euch gar nicht kommen hören«, brummt Mette. »Dann wascht euch mal die Pfoten. Gleich gibt es Essen!«
Draußen funkeln die Sterne am Himmel über der Dracheninsel. Magnus, Mette, Opa Jörgen, Oma Aurelia, Matildas Eltern, Oskars Eltern und die drei Abenteurer lassen sich Grillfisch, Gemüse und Obstsalat schmecken und plappern

wild durcheinander – bis Matilda ein Stück Eierschale hervorholt.
»Das haben wir oben im Gletscher gefunden.«
Magnus staunt. »Ihr wart in den Himmelskratzern? So weit?«
»Wir können ziemlich schnell wandern«, sagt Kokosnuss.
»Pfeilflitzeschnelle«, sagt Oskar.
Mette betrachtet die Eierschale und murmelt:
»Feuerdrachen-Ei.«

»Zeig mal!«, sagt Magnus und prüft die Schale. »Da ist ja Moos dran. Hm.«
»Meiner Meinung nach«, sagt Matilda, »ist das ein Moos, das seit Millionen von Jahren ausgestorben ist.«
Magnus besieht sich die Pflanzenreste ganz genau. »Du hast recht.« Der große Drache kratzt sich hinterm Ohr. »Merkwürdig.«

Da meldet sich Kokosnuss: »Vor so langer Zeit gab es die Menschen noch nicht. Die Drachen waren also früher da als die Menschen, stimmt's?«
»Öhm, tja, richtig«, sagt Magnus.
Und Oma Aurelia sagt: »Dann müssen wir die Geschichte der Drachen umschreiben.«
»Es stimmt eben nicht immer alles, was in den Büchern steht«, sagt Oskars Vater Herbert.
»Vielleicht«, sagt Kokosnuss, »hat ja vor 100 000 Jahren ein Mensch zwei Eier im Gletscher gefunden.«
»Und dann«, sagt Matilda, »hat er Drachenbabys aufgezogen.«
»Und der Mensch«, sagt Oskar, »hieß Klonk.«
Die Erwachsenen gucken die drei mit großen Augen an.
»Was ihr euch immer für Geschichten ausdenkt!«, sagt Mette. »Jetzt aber Abmarsch ins Bett!«
»Dürfen Matilda und Oskar heute bei uns übernachten?«, fragt Kokosnuss.
»In Ordnung«, sagt Mette. »Aber nicht mehr so lange quasseln!«

Und während die Erwachsenen am Strand über die Entstehung der Drachen nachdenken, schiebt Kokosnuss in seiner Schlafecke im hinteren Teil der Höhle den Schrank beiseite. Die Freunde staunen: An der Wand ist ihr Porträt abgebildet. Die Farben sind schon ein wenig verwittert. Aber das ist ja kein Wunder, denn schließlich ist das Bild beinahe 100 000 Jahre alt.

Foto: privat

Ingo Siegner, 1965 in Hannover geboren, wuchs in Großburgwedel auf. Nach Schule und Zivildienst wurde er Sparkassenkaufmann, ging als Au-Pair nach Frankreich, steckte seine Nase in die Universität und landete schließlich bei Vamos, einem Hannoverschen Veranstalter für Familienreisen. Auf vielen Reisen erfand er für die Kinder fantastische Geschichten. Nebenher brachte er sich das Zeichnen bei. Mit seinen Büchern vom kleinen Drachen Kokosnuss, die in mehrere Sprachen übersetzt sind, eroberte er auf Anhieb die Herzen der jungen LeserInnen. Ingo Siegner lebt als Autor und Illustrator in Hannover.